Dépôt légal novembre 2007
Bibliothèque nationale
978-2-84181-274-5
Imprimé en Italie par Papergraf
Conception graphique : Delphine Chevalier

Edith de Cornulier-lucinière

ALain Gauthier

NOUS LES

Je suis un être humain. Je vis dans une ville parmi des milliers d'autres gens, des enfants comme moi, et des grands. Certains sont comme des frères. Clochards ou bourgeois, petits ou grands, qu'importe ! Ils me donnent leur sourire.

Pourtant, je n'arrive pas à leur ressembler.

Quand je veux être copain avec un garçon, je le mordille. Quand je trouve un garçon complètement stupide, je le mords fort. Combien de camarades ai-je mordus dans la cour de l'école ? Je ne les ai pas comptés.

J'ai mordillé Ethel, car je suis amoureux d'elle.

Tout le monde se tient très loin de moi et je me sens seul.

Je n'aime pas l'école. Je cours, je joue du matin au soir.
Dès que je ris ou que je saute, les professeurs crient :
" Tu n'es qu'un incapable ! "
L'année dernière, un docteur a dit que j'étais instable.
J'étais très content car c'est vrai : je déteste rester immobile.

Mes parents avaient l'air triste.

LOUP

Le professeur de dessin nous a emmenés au zoo.
Je suis allé voir le loup. Il s'est approché de la grille.
Il m'a regardé fixement. C'était un très vieux loup.
Je l'ai reconnu tout de suite. Ses yeux disaient :
" Reste sauvage, mon fils. Ne te laisse jamais emprisonner. "

J'ai senti les larmes me monter aux yeux.
J'ai failli me jeter contre cette grille.
Un mot traversait mon esprit : Papa. *Papa.*

Une nuit, je suis allé chercher un peu d'eau fraîche et quelques noix à la cuisine. J'aperçus deux brillantes petites boules dans le miroir du couloir. Je m'approchai. C'était...

Mes yeux !

Mes yeux, qui luisaient comme deux astres dans les ténèbres de l'appartement.

Cette nuit-là, je ne dormis pas. Je devinai que le loup du zoo était mon vrai père. J'étouffai mes sanglots dans mon oreiller.

Cette nuit-là, rugissant sans bruit, j'éprouvai un incendie de sentiments.

Cette nuit-là, mon cœur mourait de comprendre que j'étais un être différent de ce que j'avais toujours cru.

Je suis un loup.

Je rêve de prés, de forêts, de grandes plages vides où m'ébattre.
Je rêve de hurler.
Le soir, à la fenêtre, je contemple la lune blanche et les toits des immeubles. Dans la belle nuit noire qui adoucit la ville, je hurle à voix basse. Ouhhh, wouhhh, ouhhh… !
Cela fait palpiter mon cœur et ma peau, mes muscles respirent, et j'entends au fond de moi l'appel de la vraie vie.

Une seule fois, j'ai hurlé fort comme un loup.

Mon papa m'avait dit : “ Je t'emmène dans un club de jazz. ” La fumée flottait dans la salle : la bière et les jus de fruits coulaient à flot. Un groupe de jazzmen new-yorkais jouait.

La clarinettiste soufflait dans la clarinette.

Le contrebassiste sanglotait en ricanant contre sa contrebasse.

Le pianiste pianotait comme un fou, perdu dans son monde
de touches blanches et noires sur lesquelles
il faisait pleuvoir des notes bleues.

Les gens se balançaient sur leur chaise et claquaient des mains en rythme. Nous étions tous transportés par la musique. Soudain, mon cœur se déchira, et je poussai un cri. Il se transforma en hurlement.

La musique m'avait rendu fou. Elle m'avait rendu loup.

Mon père m'entraîna hors du club
et me donna une gifle.
“ Qu'est-ce qui t'arrive, bon dieu ! ”
Il me ramena à la maison.

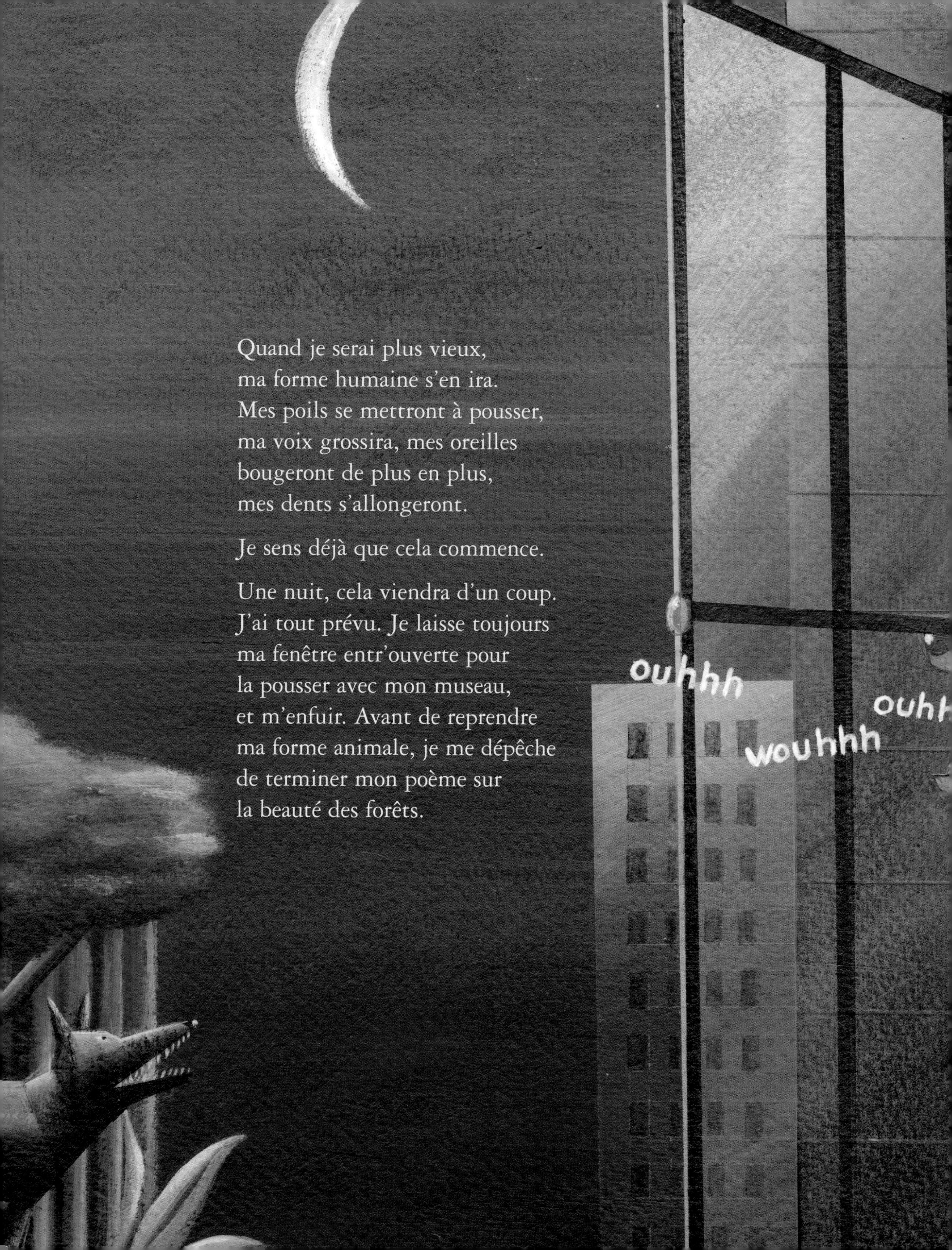

Quand je serai plus vieux,
ma forme humaine s'en ira.
Mes poils se mettront à pousser,
ma voix grossira, mes oreilles
bougeront de plus en plus,
mes dents s'allongeront.

Je sens déjà que cela commence.

Une nuit, cela viendra d'un coup.
J'ai tout prévu. Je laisse toujours
ma fenêtre entr'ouverte pour
la pousser avec mon museau,
et m'enfuir. Avant de reprendre
ma forme animale, je me dépêche
de terminer mon poème sur
la beauté des forêts.

Bientôt, je retrouverai ma forêt natale.
Quand je serai avec mes frères et sœurs loups, à nouveau rassemblés sous nos arbres chéris, je me souviendrai de ma vie d'humain.
Nous courrons librement dans ce monde sauvage et majestueux.
A la pleine lune, nous hurlerons dans la nuit.

Alors, dans mon cœur, je rêverai à Ethel.

Nous Loups, nous avons peur.
Nous avons peur de vous.
Nous avons peur de votre acier,
de vos machines,
de vos bruits et de vos gestes.
Vous ne voyez pas comme la forêt est belle
et importante !
Vous êtes partout, Vous n'êtes nulle part.
Nous avons peur de votre cœur

Les Loups